图 · 郑明进

1932年生于台北市，台北师范学院艺术科毕业。当了25年小学美术老师，除了致力于儿童画教学之外，也对水彩画、油画兴趣浓厚。

1977年从学校退休后，兴趣转为儿童图画书的创作与推广。插画作品曾参选“日本第十二届世界儿童图画书原画展”。1992年荣获“第四届信谊幼儿文学奖特别贡献奖”。2012年在台湾图书馆举办“绘本阿公 · 图画王国——郑明进八十创作展暨系列活动”。

图画书代表作品有：《动物儿歌集》《一条线》《看地图发现台湾好物产》《请到我的家乡来》《我的家乡真美丽》《乌龟娶亲》等。

编著 · 沙永玲

台湾大学图书馆学系毕业，曾任《联合报》编辑，并荣获“中国文艺协会翻译奖”。现任天卫文化及小鲁文化执行长，编辑作品多获肯定。近年来专注为小朋友精挑细选世界一流绘本。

图 · 郑明进　　　编著 · 沙永玲

郑州大学出版社

从前，
有一户人家，
生了十个兄弟。
老大是顺风耳，
老二是千里眼，
老三是大力气，
老四是钢脑袋，
老五是铁骨头，
老六是长腿，
老七是大头，
老八是大脚丫，
老九是大嘴巴，
老幺是大眼睛。

有一天，
十个兄弟到田里干活。
老大顺风耳听到有人在哭，
他说：『千里眼，
你帮我瞧瞧吧！』

老二千里眼放眼一看，
大叫：『那是为国王修城墙的人，
正饿得哇哇哭呢！』

老三大力气，
自告奋勇地说：
『我去帮忙吧！』

老三大力气一到工地，
马上动手修城墙，
三两下就修好了。
国王大吃一惊，
深怕这个大力士造反，
于是想除掉他！
吓得老三喊救命，
急得老四钢脑袋赶去顶替他！

老四钢脑袋到了那儿，
脖子一伸，
国王用了几十把钢刀
都没能把他砍死，
于是改用鞭子猛打，
把老四吓哭了！

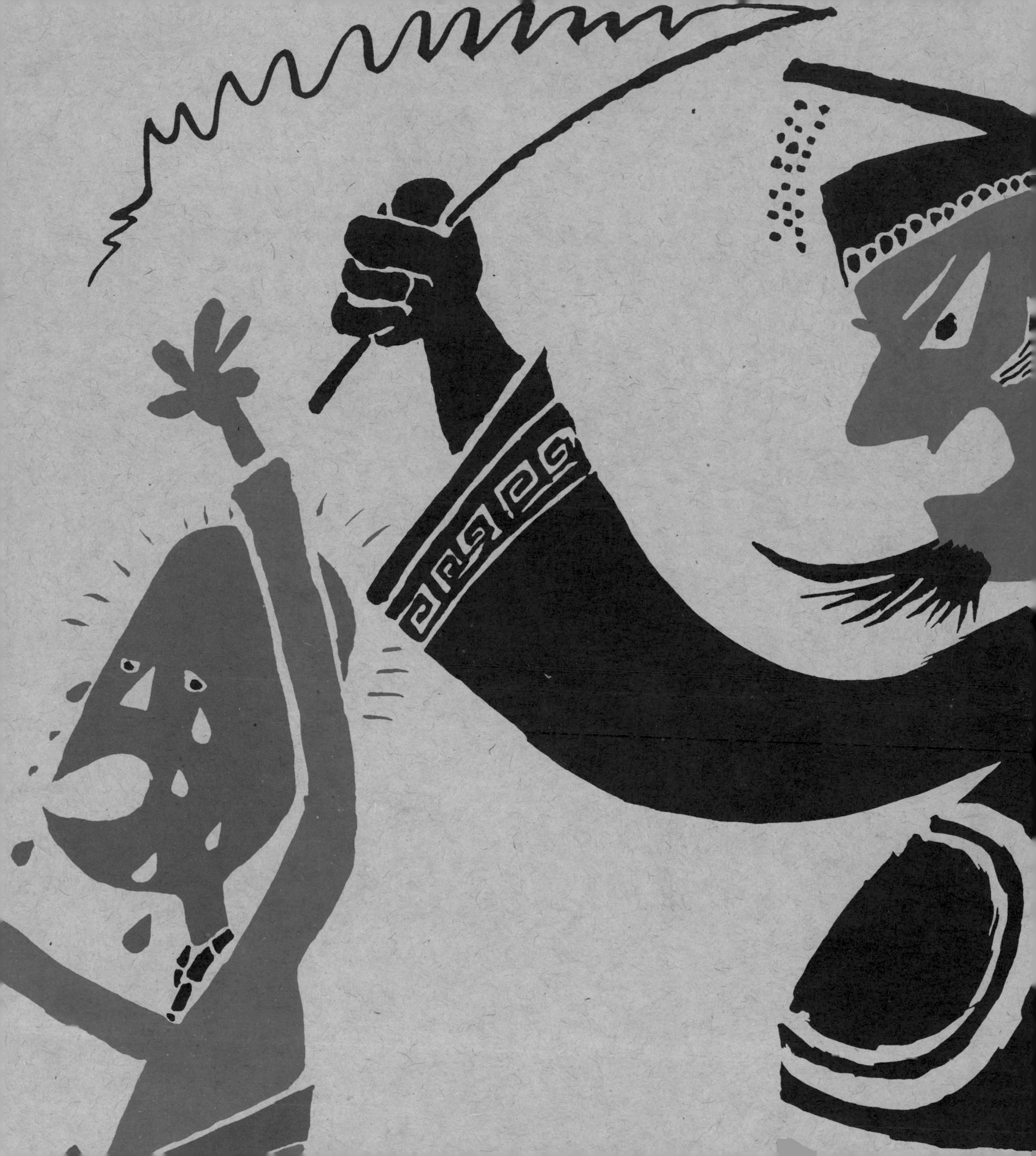

老大顺风耳又听到有人哭了！

老二千里眼放眼一看，

大叫：『不好了！

国王拿鞭子打咱家老四呢！』

老五是铁骨头，

他说：『由我顶替他！』

老五铁骨头到了那儿，
任由国王打断了几十根鞭子，
他还是好端端的。
国王气极了，
要把他往海里扔，
老五吓哭了！

老大顺风耳又听到有人哭了，
老二千里眼放眼一看，
大叫：『不好了！
国王要把老五
往海里扔呢！』

老六是长腿，
他说：『由我去顶替他！』

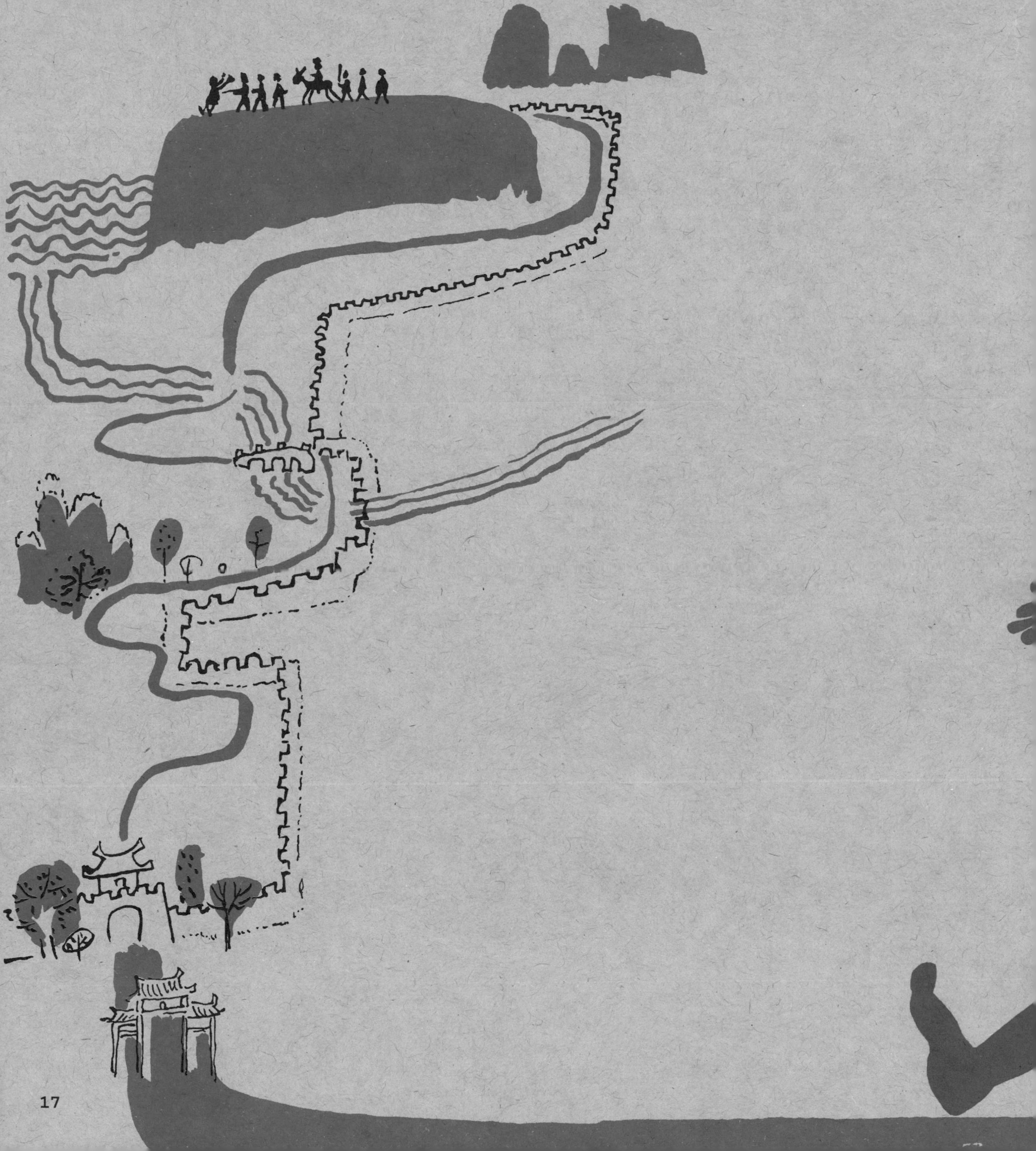

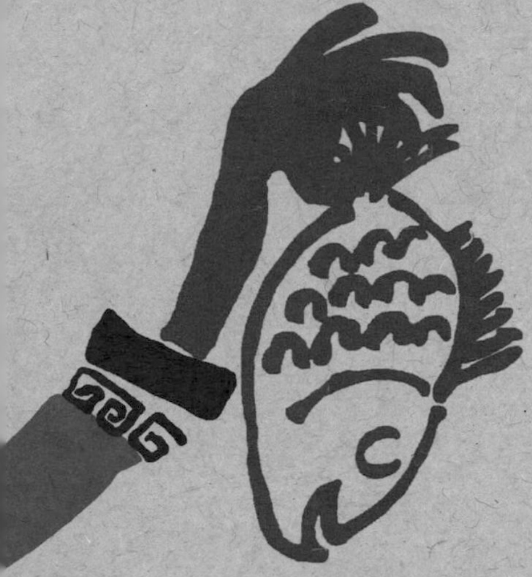

老六长腿到了那儿，
就被扔到海里，
结果水才淹到他的脚丫子，
他正乐得捞鱼玩呢！
他捞了上百斤鱼没处放。

这时老七大头来了！

他取下斗笠，

上百斤鱼倒进去还装不满半顶斗笠呢！

这两兄弟高高兴兴地把鱼抬回家。

可是家里没柴火，
不能烧鱼吃。
老八大脚丫说：
『前天我在山上砍柴，
脚上扎了一根刺，
挑出来看看能不能当柴用！』
结果一挑，
挑出一根大树干。
老三大力气用力劈开，
老九大嘴巴生火，
把鱼烧好了。

老九大嘴巴说：
『我先尝一尝熟不熟。』
老九大嘴巴只尝了一口，
上百斤的鱼还不够他塞牙缝的！
这下可把老幺气哭了！

老幺是大眼睛，
他刚哭的时候是蒙蒙细雨，
后来越哭越凶，
泪水变成了倾盆大雨。
大雨越下越大，
引发了大水灾，
一下子推倒了城墙，
国王也被大水冲到海里去了。

以幼儿视觉观点创作的图画书

文·郑明进

回想画《十兄弟》时，正好是我当了十五年小学美术老师的时候，也是我最专注于推广与指导儿童画的时候。所以创作这本书时，我特别在意画面如何呈现才能让幼儿也懂得欣赏，创作时，特别采用了以下几种符合幼儿视觉特点的画法：

插画风格：简单又纯真的造型向来是儿童喜爱的，因此我的绘画技法采取平涂的表现形式，并采用剪影式的造型，让儿童容易在视觉上感受画面。

景象的表现：景物的描绘上，我运用儿童五到七岁在画图时表现的特征——“左右移动式”，而不是“近景、中景和远景式的空间画法”（透视远近法）。例如：把耕田的人、农家画在同一基底线上，还有老三大力气拼命赶去帮忙、老六长腿跑去顶替的动作，也运用画在同一基底线上，再让人物朝向左移动的表现方式。

人物造型的夸张表现：故事里强调十兄弟各有不同的本领，所以我用夸张的画法表现他们各自的特征。像把老大顺风耳的耳朵画得特别大；画老三大力气时强调粗壮的身体，尤其是手臂上的肌肉非常结实；画老六长腿时则故意拉长身体比例，凸显特别修长的手脚。另外，在画反派人物国王的脸时，我以倒竖的眉毛、向上斜的三角形眼睛与气得上翘的胡子，显现出他凶恶的面貌。

剖面式的画法：我注意到幼童在画水中或地下世界时，经常采用“剖面式画法”，因此也运用在这本书上。例如：画老六长腿站在海中捞鱼时，让海水里的各种大鱼小鱼也一起亮相！还有大头老七的大斗笠也是同样的画法，让小朋友可以清楚看到斗笠里装了满满的鱼。

情境的表现：因为是给儿童看的书，所以我特别重视营造画面情境的趣味性。像老九大嘴巴用双手拿着古代大鼎，把上百只鱼一口气全倒进嘴里的画面，就带有一种幽默感。而老十大眼睛哗啦啦流下的大滴眼泪像倾盆大雨，最后变成大水灾，国王、士兵们在水里漂啊漂的画面，也有一种独特的趣味。

色彩的特别运用：为了强化画面的视觉感受，并凸显单纯的造型，我采用专色作画，运用经过特别调色的粉红、蓝、绿、橙、黑色交错搭配，创造出独特的风格与色感，并且印制在牛皮纸的纸材上，展现出民间故事特有的质朴气息。

中国文化形象

《十兄弟》是广泛流传于华人世界的民间故事，在中国大陆、香港、台湾都有不同的版本。虽然细节略有不同，但由长相各异、本领不同的十兄弟同心协力，各自发挥所长，共同对抗官府恶吏、解决困难的桥段是一致的。这个故事正如古语所说：“兄弟同心，其利断金”，既带有“团结就是力量”的寓意，也能反映出中华文化中强调手足间合作的精神，更能显示出“家庭观念”在中华文化中所占的重要比重。

豫著许可备字-2015-A-00000323

图书在版编目（CIP）数据

十兄弟/沙永玲编著；郑明进图.—郑州：郑州大学出版社，2015.12
ISBN 978-7-5645-2170-7

Ⅰ.①十… Ⅱ.①沙… ②郑… Ⅲ.①儿童文学 图画故事—中国—当代 Ⅳ.①I287.8

中国版本图书馆CIP数据核字（2015）第217781号

十兄弟
郑明进 图　沙永玲 编著

郑州大学出版社出版发行
郑州市大学路40号　邮政编码：450052
出版人：张功员　发行电话：0371-66966070
责任编辑：徐　栩
特约编辑：瓜　瓜
封面设计：田　晗
全国新华书店经销
北京盛通印刷股份有限公司印制
开本：787mm×950mm　1/12
印张：3
字数：2千字
版次：2015年12月第1版　印次：2015年12月第1次印刷

书号：ISBN 978-7-5645-2170-7　定价：35.80元

如有印装质量问题，请向印刷厂联系调换：010-67887676转866、816